PAYS ET PAYSAGES
DE PROVENCE

A ma mère.

© ÉDITIONS ÉQUINOXE, 2002
Domaine de Fontgisclar, Draille de Magne
13570 BARBENTANE

ISBN 2-84135-320-6

PAYS ET PAYSAGES DE PROVENCE

Patrice Hyver

ÉQUINOXE

AVANT-IMAGES

Quand on évoque la Provence à quelqu'un qui n'est pas du pays, il vient immédiatement à l'esprit l'image du mas en pierres sèches, sous un soleil de plomb, entouré de lavande et bercé par le chant lancinant des cigales.

Certes, on peut, en juillet et août, rencontrer ce paysage présent sur tous les dépliants touristiques.

Mais, une fois les premiers frimas arrivés, la cigale de la fable ayant cessé de chanter, on peut au-delà du miroir des apparences, observer un autre pays.

Une Provence où le vent, s'engouffrant dans les andrônes, vient griffer de sa vigueur le visage du promeneur assez téméraire pour sortir, une Provence où l'eau cascadant d'une fontaine solitaire appelle désespérément la main qui viendra troubler son onde.

Un des buts du voyage est de permettre aux choses de survenir. Mais, cette pérégrination n'aspire qu'à la lenteur. Et, quoi de mieux qu'une place ombragée vidée de ses touristes pour apprécier et mesurer l'âme d'un pays.

S'asseoir, regarder, se laisser porter par les bruits étrangers, saisir ces parcelles infinitésimales en suspension dans l'air qui font qu'un pays existe.

A l'image d'Angélo, le hussard cher à Giono, j'ai traversé la Provence, non pas comme lui du sud au nord, mais en prenant comme axe tournant le Mont Ventoux, vigie bienfaitrice du paysage provençal. Evitant les grandes villes, je me suis promené de villages en villages me perdant par les sentiers et les ruelles caladées. J'ai goûté à l'eau des fontaines pour avoir en bouche tous les mystères de vie. De ma main, j'ai également caressé les herbes rencontrées, gardant jalousement au creux de mes paumes, comme un trésor, les fragrances les plus secrètes.

Chemins anonymes qui, si on s'élève un peu, doivent dessiner, comme sur la main d'un vieil homme, la mémoire d'un pays, irrigués par des milliers de pas, disparus à jamais.

Ce voyage que j'ai eu tant de plaisir à faire vous appartient désormais.

TARASCON. - Les eaux du Rhône réfléchissent le château du XVIᵉ siècle. Un peu plus loin, la collégiale Sainte-Marthe s'offre à la vue. La dépouille de la Sainte y passe son éternité ; repos bien mérité, après avoir terrassé la Tarasque, monstre féroce doté d'une tête de lion et d'un corps de crocodile.

Quand on traverse la monta-
gnette au nom très poétique
sauf quand on est en vélo, on
tombe inévitablement sur un
havre de paix : l'abbaye Saint-
Michel-de-Frigolet.

FONTVIEILLE. - On pense immédiatement aux *Lettres de mon moulin* de Daudet. Contrairement à ce que l'on pense, elles ont été écrites à Paris. Il me revient en mémoire des noms lus il y a longtemps : Maître Cornille, le curé de Cucugnan.
Le moulin sans vie, les ailes étant scellées au sol, laisse tourner autour de lui une marée de touristes cherchant le meilleur éclairage pour la photo.
La voix provençale pleine de chaleur d'Yvan Audouard semble flotter dans le village.

Les Alpilles. - Paysage que peut-être Vincent Van Gogh a parcouru à la recherche de ses cauchemars.

MAUSSANE-LES-ALPILLES.

LA FONTAINE DE MAUSSANE. - Mon regard est attiré par un couple d'amoureux tendrement enlacé. Je m'en vais discrètement en pensant à quelques vers de je ne sais plus qui :

« Ils se sont tellement aimés
que la mort recula d'une heure
pour les laisser passer. »

CHAPELLE SAINTE-SIXTE.

EYGALIÈRES - Le soir, les formes deviennent
incertaines avant de plonger dans la nuit.

SAINT-REMY-DE-PROVENCE (l'église Saint-Martin). - Il suffit de s'asseoir et d'attendre. Ici, tout est beau. Attendre sous un platane que le temps s'écoule, doucement.

Vieille pharmacie dans laquelle on rentrerait facilement pour n'importe quel motif aussi futile soit-il, ne serait-ce que pour regarder.

Boucherie chevaline, le vocable me plaît moins que le décor. Sur la porte on peut lire « Taureau de Camargue, Agneau de Provence » puis « Veau du Gers et volaille fermière du Gers ». Venant de ce département je ne peux que me sentir en empathie avec ce commerçant !

LES ANTIQUES DE GLANUM.

Le Cloître de Saint-Paul de Mausolée. -
Vincent y séjourna plus d'un an après sa que-
relle avec Gauguin avant de partir vers son
destin à Auvers-sur-Oise.

LES BAUX-DE-PROVENCE. - *Li Baus* en Provençal signifierait « rocher ». Guillaume des Baux devint roi d'Arles, Jaime des Baux empereur titulaire de Constantinople. Peut-être qu'il existait à l'époque un empereur stagiaire !

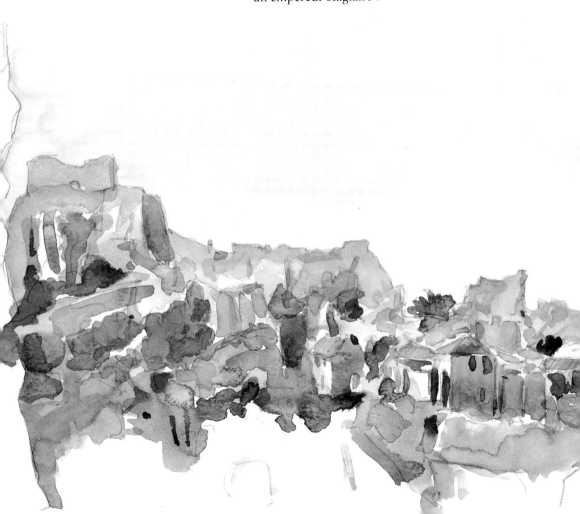

La vallée entre les Baux. Au loin la Crau.

Petite Chapelle au bout des Baux (belle
allitération !) décorée par Brayer.

CAVAILLON. - Les arcs romains. Comme chacun sait, la ville est le pays du melon. D'ailleurs Alexandre Dumas offrait un exemplaire de chacune de ses œuvres à la bibliothèque de la ville qui lui versait en échange une rente constituée en un lot annuel de melons !

L<small>AURIS</small>. - Au pied de la Durance.

LOURMARIN. - Albert Camus et Henri Bosco y avaient élu domicile.
Ils y passent leur éternité.

Fontaine à Lourmarin. Loin d'être la plus belle mais peut-être la plus intime. Le chant de son eau cascadant m'appelle un matin et m'a guidé jusqu'à elle. J'ai goûté l'eau. Sa fraîcheur a traversé mon corps comme une eau de vie.

ANSOUIS.

CUCURON. - L'origine du mot reste contro-
versé : origine romaine ou ligure, les avis diver-
gent. Moi, je préfère garder le mot en bouche
comme un bon vin et imaginer une signification
plus prosaïque en regardant du château les
mamelons entourant le village.

CUCURON. - Reflets dans l'étang.

Petite fontaine en forme de baignoire portant un panneau « défense de salir l'eau ». Dans cette inscription, on peut lire le respect et le désir d'éloigner un éventuel fâcheux.

Souvent le lavandin est associé aux cerisiers dans le paysage du Luberon.

Eolienne un peu rouillée rappelant un midi sauvage écrasé par le soleil où le vent parfois
violent peut devenir rapidement un allié.

BONNIEUX. - Les toits : un
mélange de jaune, d'ocre et
de sienne où l'œil se perd
facilement.

Le tabac de Bonnieux.

BONNIEUX dans la fraîcheur du matin.

BONNIEUX. - Au printemps, la blancheur des fleurs de cerisiers semble sortir le village de sa torpeur hivernale.

Pigeonnier.

Le pont Julien.

Le boulanger de Lacoste, devoir de mémoire.
Qui se souvient encore de lui ?

HOTELLERIE

Le marquis de Sade y passa de nombreuses années
et y composa ses brûlots les plus célèbres.

Le mont Ventoux depuis l'esplanade derrière l'église de Lacoste.

Ménerbes, le matin comme une ombre chinoise.

Le café à la devanture de librairie.

Le beffroi. Nicolas de Staël, séjournant à MÉNERBES dans les années 50, comprit le mystère de la lumière lui permettant, ainsi, de réaliser des tableaux qui marquèrent l'histoire de la peinture du XXᵉ siècle.

Cadran solaire oublié entre deux volets, témoignage d'un autre temps loin des GPS et autres technologies modernes.

GORDES. - Quand on arrive
le matin ou le soir, une sensa-
tion de vertige accompagne le
passant. En effet, Gordes est un
village unique construit sur une
acropole où un architecte céleste,
de son doigt nébuleux a, lors de la
fondation du village, prononcé certai-
nement cette sentence : « Tu seras beau
ou inconsistant ! A toi de choisir ».
Il a choisi : c'est magnifique.

56

GORDES. - La place au pied du château. S'asseoir
autour de la fontaine et attendre l'œil aux aguets
afin que l'endroit commence à vous parler.

La pharmacie au détour d'une androne.

LES BORIES. - Construction en pierres sèches sans aucune charpente. D'après les livres, il faut entre 200 000 et 300 000 pierres par borie ! On imagine la somme de travail et de souffrance.

ABBAYE DE SENANQUE. - Aquarelle typique de l'abbaye au milieu d'un champ de lavande.

LE CLOÎTRE. - Je me souviens d'une visite où un chant grégorien s'éleva sous la voûte de l'église, comme si un ange se mettait à chanter !

L'abbaye en descendant la combe.

ROBION. - La fontaine au milieu des platanes.

ROBION. - Je me promenais autour de la place lorsque je remarquais à l'angle d'une maison cette vieille enseigne. Dans mon dos, un vieil homme de 86 ans me parla m'expliquant qu'il avait essayé de l'effacer à coups de pinceaux. Inévitablement, l'enseigne réapparaissait. Il me raconta alors que son père créa ce magasin dans les années 20. Lui dut partir pour Oppède, quelques kilomètres plus loin et de conclure d'un « Peuchère » tonitruant...

Oppède-le-Vieux. - Notre-Dame Dolidon.

Les iris de MAUBEC.

Le Moulin de SAINT-SATURNIN-LES-APT.

FONTAINE-DE-VAUCLUSE. - Le lieu porte à la méditation... le matin très tôt avant l'arrivée des touristes. Pétrarque entretint une passion malheureuse avec la trop vertueuse Laure pendant... 21 ans. Quelle fidélité sans retour !

Apt. - Porte de Saignon.

SAIGNON. - Situé sur le plateau de Claparède (encore un mot qui sonne bien en bouche !), belvédère surveillant la vallée du Calavon.

La fontaine, lieu d'échanges et de rencontres, les hommes se retrouvant autour
pendant que les femmes assistaient à la messe.

LUBERON. - Le vallon de Combrès.

Prieuré Saint-Symphorien. - Un campanile roman dans la garrigue.

ROUSSILLON. - Comme si les peintres fauves du début du siècle, de Vlaminck ou Derain en tête, s'étaient occupés personnellement de la décoration des murs.

La promenade des ocres le soir et le matin. Saisir la lumière, aussi fugace que l'oiseau qui s'envole, le plus rapidement possible.
Les jeux de lumière sur les ocres m'attirent. Moi qui ai toujours aimé les couleurs chaudes, je me régale. Ici pas de limite, je m'en donne à cœur joie.

Le sentier des ocres, le matin, avant l'arrivée de la foule. La naissance d'un matin du monde rien que pour moi.

D'accord avec Philippe Delerm, la première gorgée de bière
prise à l'ombre, quel bonheur quand il fait chaud !

RUE DE L'ARCADE. - Voir l'évolution des rouges et des ocres suivant la parallaxe du soleil. Un régal, mais il faut prendre son temps.

COLORADO DE RUSTREL. - Un petit air d'Amérique dans le Luberon.

L'ISLE-SUR-LA-SORGUE dont René Char, son hôte, a chanté la rivière :
Rivière trop tôt partie, d'une traite, sans compagnon,
Donne aux enfants de mon pays le visage de ta passion
et de conclure :
Rivière au cœur à jamais détruit dans ce monde fou de prison.
Poésie universelle que l'on peut appliquer à toutes les rivières.

L'Isle-sur-la-Sorgue.

L'Isle-sur-la-Sorgue.

Pernes-les-Fontaines, la bien nommée.

Fontaine-lavoir à PERNES. Se promener dans ce village, loin de l'axe routier, est un réel plaisir. L'eau cascadant de chaque fontaine appelle le promeneur à continuer son errance afin de découvrir la suivante.

VENASQUE. - A la tombée du soir, lorsque les toits semblent s'éteindre de leur belle mort en plongeant dans la nuit.

BEDOUIN. - Quand on arrive, le regard est attiré inévitablement par la façade démesurée de l'église. Bédouin dont le nom à la fragrance saharienne est veillé par le Ventoux.

Cerisiers en fleurs.

Sur les montagnes blotties au-dessus de lui sa blanche tête jusqu'aux astres.
Frédéric Mistral.

Haut de 1 908 m, le Mont domine tout le pays de son dôme calcaire. La toponymie hésite entre une origine celtique « ven top » montagne blanche et le provençal ventour « exposé au vent ».

Pétrarque, peut-être pour oublier sa Laure et partant du principe que l'amour fait gravir les montagnes l'escalada en 1336.

LE MONT VENTOUX.

CRILLON-LE-BRAVE.

SAULT. - Qu'il est doux de se promener dans ces ruelles et de découvrir les vieilles devantures au charme suranné.

MALAUCÈNE. - Fontaine-lavoir.

VAISON-LA-ROMAINE. - Au bord de l'Ouvèze au débit parfois meurtrier.

Vaison-la-Romaine.

NYONS. - Entre
ombre et lumière.

NYONS.

Le vieux pont romain. La petite maison en haut à gauche, si on me la donne, je la prends.

Nyons, Librairie Pinet. - Un amour de librairie où on entre pour le plaisir de respirer l'odeur des livres. Malheureusement, ce type de boutique est en voie de disparition.

MOLLANS-SUR-OUVÈZE.

Saint-Nazaire-le-Désert. - Au loin les premiers contreforts du Vercors.
Le bout du bout de la Haute-Provence.

Saint-Nazaire-le-Désert.

SISTERON au pied de la Durance. - Commencée au XIIIe siècle, la forteresse a été inévitablement terminée par Vauban, l'ingénieur touche à tout.

Le village vu de la citadelle.

La longue androne et la porte de l'hôtel d'Ornano.

SISTERON, la guérite du diable. La légende raconte que le diable aurait aidé le maçon qui la construisit en échange de son âme.

NOTRE-DAME-DE-LURE. - Lieu de pèlerinage lors de grandes sécheresses afin de demander une intervention divine pour le retour de la pluie.

Nuit étoilée à MONTFORT.
Et le soir vient et les lys meurent
Regarde ma douleur bleu ciel qui me l'envoies
Une nuit de mélancolie

Apollinaire.

MONTAGNE DE LURE. - Vallée du Fabron.

Paysage que l'on aime rencontrer l'été.
Il n'y a plus qu'à fermer les yeux et écouter le chant des cigales.

C'était le temps où les Alpes-de-Hautes-Provence
à la consonnance plus touristique s'appelaient encore les Basses-Alpes.

Vieux mas rencontré au détour d'un chemin. Il existe encore des endroits comme celui-ci qui viennent à vous sans les chercher. Une halte à l'ombre d'un olivier et on repart.

SIGONCE.

CRUIS. - L'abbaye fondée au XIIe siècle avec ses tuiles vernissées. La lumière du soleil se dépose doucement sur le toit comme une caresse.

Pigeonnier à SAINT-ETIENNE.

FORCALQUIER. - Une trouée dans les arbres.
Forcalquier vient de Font calquier signifiant « source du rocher » en langue d'oc.

Cathédrale Notre-Dame
du Bourguet.

125

FORCALQUIER. - Rue des Remparts.

FONTAINE SAINT-MICHEL. - Un homme m'aborde et m'explique les positions originales de certains personnages. En fait, me dit-il, il ne s'agit pas de positions érotiques comme on l'a pensé longtemps mais tout simplement d'un ancien jeu que j'ai pratiqué tout gamin : le jeux de « pet-en-gueule » au nom évocatif puisque les participants roulent tête-bêche en descendant une pente.

Ombre et lumière dans une calade.

Les roses trémières de Fontienne.

REILLANE.

REILLANE, le vieux tabac. - Le petit café pris sous les platanes a un petit goût de joie de vivre et de bonheur.

CERESTE.

LURS.

Faire quelques provisions, se promener parmi les étals, ouvrir grands les yeux
afin de garder toutes les couleurs rencontrées... avant de rentrer.

DANS LES COLLECTIONS

CARRÉS DE PROVENCE

- *Les épouvantails, sentinelles de l'éphémère*, textes de Sergio Cozzi.
- *Arbres et arbustes de Provence et d'ailleurs*, photos et compositions végétales de Marine.
- *Herbier de Provence*, photos et compositions végétales de Marine.
- *Le potager de Provence et d'ailleurs*, photos et compositions végétales de Marine.
- *Le savon de Marseille*, textes de Patrick Boulanger.
- *Petite anthologie de la cigale*, textes de Bernard Mondon.
- *Petite anthologie de l'ocre*, textes de Callixte Cocylima, illustrations de Régis Ferré.
- *Petite anthologie du tournesol*, textes de Gilbert Fabiani.
- *Devantures du Midi*, avant-images de Pierre Magnan.
- *En Provence, d'une village à l'autre*, textes et illustrations de Lizzie Napoli (version brochée et version reliée toilée).
- *Portes en Provence*, dessins de Jean-Claude Bernys, textes de Marcel Béalu.
- *Ports & Marines, fêtes nautiques en Méditerranée*, illustrations d'Alain Goudot.
- *Si j'avais un mas en Provence*, textes et illustrations de Lizzie Napoli (version brochée et version reliée toilée).
- *If I had a mas in Provence*, textes et illustrations de Lizzie Napoli (version en anglais).
- *Secrets de Provence, Portes et fenêtres*, textes et illustrations de Brigitte Kleinehanding.
- *Petite anthologie du mimosa*, textes et illustrations de Franck Ricordel.
- *Pays et Paysages de Provence*, textes et illustrations de Patrice Hyver.
- *Petite anthologie des crèches et santons de Provence*, textes de Françoise Delesty, phtos de Alain Christof.
- *Couleurs & nuances de Provence*, textes de Jacques Rouré, phtos de Julien Lautier.

CARRÉS DE FRANCE

- *Le Gers « Chemins de traverse »*, textes et illustrations de Patrice Hyver.
- *L'Auvergne & le Massif Central : Cantal, Limousin, Creuse, Aveyron*, textes et illustrations de Lizzie Napoli.
- *Les costumes auvergnats et bourbonnais*, illustrations de Victor Lhuer.
- *Les Pyrénées, de la vallée d'Aspe au Luchonnais*, illustrations de Patrice Hyver.
- *La Haute-Savoie*, illustrations d'Isabelle Scheibli.

Achevé d'imprimer en mars 2002
sur les presses de l'imprimerie Grafiche Zanini, Bologne (Italie)
Photogravure Quadriscan
Mise en page : Atelier EquiPage - 13009 Marseille